MATER
ET LES
PETITS TRACTEURS

Inspiré des films © *Les bagnoles* et *Les bagnoles 2* Copyright © 2013 Disney/Pixar.
Éléments de Disney/Pixar, © Disney/Pixar, sauf les véhicules suivants dont les droits sont détenus par d'autres sociétés : Jeep® et la grille caractéristique de Jeep® sont des marques de commerce déposées de Chrysler LLC; Mercury™ et Model T sont des marques de commerce de la compagnie Ford Motor; Porsche™ est une marque de commerce de Porsche; les marques de commerce, les brevets des design et les droits de Volkswagen sont utilisés avec l'assentiment du propriétaire Volkswagen AG; FIAT™ est une marque de commerce de FIAT S.p.A.; Chevrolet™ Impala est une marque de commerce de General Motors; © Disney/Pixar; arrière-plan inspiré par Cadillac Ranch par Ant Farm (Lord, Michels et Marquez) © 1974.

Publié par Presses Aventure, une division de
Les Publications Modus Vivendi inc.
55, rue Jean-Talon Ouest, 2ᵉ étage
Montréal (Québec) H2R 2W8
CANADA

www.groupemodus.com

Éditeur : Marc Alain
Traductrice : Emie Vallée

Publié pour la première fois en 2012 par Random House
sous le titre original *Mater and the Little Tractors*

Dépôt légal — Bibliothèque et Archives nationales du Québec, 2013
Dépôt légal — Bibliothèque et Archives Canada, 2013

ISBN 978-2-89660-499-9

Nous reconnaissons l'aide financière du gouvernement du Canada par l'entremise du Fonds du livre du Canada pour nos activités d'édition.

Gouvernement du Québec — Programme de crédit d'impôt pour l'édition de livres — Gestion SODEC

Imprimé en Chine

MATER
ET LES
PETITS TRACTEURS

Adapté par Chelsea Eberly
Illustré par Andy Phillipson, Scott Tilley,
David Boelke et les artistes
de Disney Storybook

Par une belle journée,
Mater bricole une
boîte à musique.

C'est une surprise

pour ses amis.

La boîte à musique
est prête!
Mater la remorque
en roulant vers
la rue principale.

Mater montre
la boîte à musique
à Ramone,
mais Ramone
est trop occupé.

Un petit tracteur
repeint son atelier !

Mater montre
la boîte à musique
à Flash McQueen.
Flash est occupé.
Il poursuit
un petit tracteur.

Mater traîne
la boîte à musique
à l'atelier de Luigi.

Luigi est occupé,
lui aussi. Un petit
tracteur a renversé
une pile de pneus !

Mater apporte
la boîte à musique
chez Red.

Red pleure !
Les petits tracteurs
ont arraché ses fleurs.

Mater va voir
Shérif avec la boîte
à musique.

Shérif n'a pas le temps.

Il doit attraper

les petits tracteurs !

Il y a des tracteurs
partout !
Celui-là joue avec
la peinture de Ramone.

Celui-ci joue avec
les fleurs de Red.

Un autre mange
les pneus de Luigi.

Les petits tracteurs
sèment le désordre !

Les amis de Mater
ont besoin de lui.
Mater a une idée.

Mater allume sa
boîte à musique.
Un tracteur timide
s'approche.

Mater avance
lentement dans la rue.
D'autres petits tracteurs
le suivent.

Mater se retourne.
Les tracteurs aiment
la musique! Mater
monte le volume.

Les tracteurs suivent
la musique jusqu'au
champ de ferraille.

La clôture les gardera
loin de la ville.

Tout le monde
est content !

28

Les tracteurs ne peuvent
plus faire de dégâts !
Shérif remercie Mater.

Les petits tracteurs
se mettent à danser.
Mater et ses amis
les observent en riant.

Grâce à la boîte à musique
de Mater, tout va bien !